© 2020 do texto por Eliandro Rocha
© 2020 das ilustrações por Paulo Thumé
Callis Editora Ltda.
Todos os direitos reservados.
1ª edição, 2021
2ª reimpressão, 2023

Texto adequado às regras do novo Acordo Ortográfico da Língua Portuguesa

Coordenação editorial: Miriam Gabbai
Editor assistente e revisão: Ricardo N. Barreiros
Projeto gráfico e diagramação: Thiago Nieri

Dados Internacionais de Catalogação na Publicação (CIP)
Angélica Ilacqua CRB-8/7057

Rocha, Eliandro

O poço / Eliandro Rocha ; ilustrações de Paulo Thumé. – São Paulo :
Callis Ed., 2021.
40p. : il., color.

ISBN 978-65-5596-035-8

1. Literatura infantojuvenil 2. Amizade - Literatura infantojuvenil
I. Título II. Thumé, Paulo

21-0182   CDD: 028.5

Índices para catálogo sistemático:
1. Literatura infantojuvenil 028.5

ISBN 978-65-5596-035-8

Impresso no Brasil

2023
Callis Editora Ltda.
Rua Oscar Freire, 379, 6º andar • 01426-001 • São Paulo • SP
Tel.: (11) 3068-5600 • Fax: (11) 3088-3133
www.callis.com.br • vendas@callis.com.br

O Poço

ELIANDRO ROCHA

ILUSTRAÇÕES DE
PAULO THUMÉ

callis

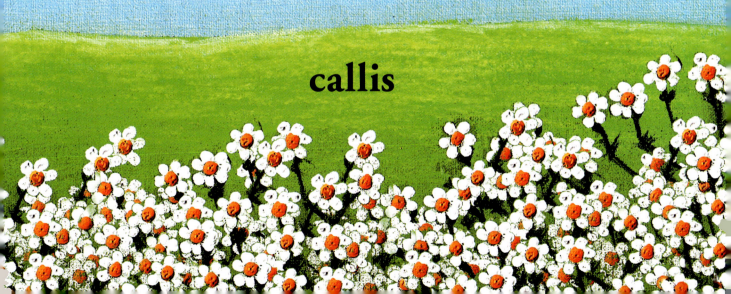

TINHAM SUAS CASAS,
UM JARDIM DE MARGARIDAS,
ALGUMAS ÁRVORES,
NINHOS DE PASSARINHOS,
UMA HORTA COMUNITÁRIA,
UM RIO DE ÁGUA FRESQUINHA
E UMA PONTE.

A PARTIR DAQUELE DIA,
OS AMIGOS FICARAM SEM ÁGUA.

JOSÉ ACREDITAVA QUE LOGO CHOVERIA
E QUE O RIO VOLTARIA A CORRER.

NESTOR ESTAVA PREOCUPADO;
SEM ÁGUA, NÃO PODERIAM VIVER ALI.

JOSÉ TEVE UMA IDEIA:
— VAMOS CONSTRUIR
UM POÇO? —
PERGUNTOU ELE.

NESTOR FICOU ANIMADO, MAS, LOGO QUE COMEÇOU A CAVAR, UM ESTRANHO APARECEU.

— BOM DIA! MEU NOME É JOÃO.
— BOM DIA! SOU O JOSÉ E ESTE É O NESTOR.
— ESTÃO PROCURANDO UM TESOURO? — PERGUNTOU JOÃO.

NESTOR NÃO GOSTOU DO SUJEITO E, COM CARA DE POUCOS AMIGOS, RESPONDEU:

— NA VERDADE, ESTAMOS. NÃO DEIXA DE SER UM TESOURO. NOSSO RIO SECOU E VAMOS CAVAR UM POÇO EM BUSCA DE ÁGUA... SE NÃO VAI AJUDAR, NÃO ATRAPALHE!

— EU ATÉ AJUDARIA, MAS LEMBREI QUE ESQUECI UMA COISA EM CASA — DISSE ISSO E SAIU CORRENDO.

JOSÉ ACENOU PARA JOÃO E, AOS GRITOS, CONVIDOU-O PARA JANTAR.

NESTOR FICOU FURIOSO.
CONVIDAR UM ESTRANHO PARA
JANTAR ERA ALGO INACEITÁVEL.

NESTOR TEVE CIÚMES.
COMEÇOU A CAVAR SOZINHO,
SEM DIZER UMA PALAVRA.

JOSÉ FEZ DE TUDO PARA ALEGRAR NESTOR:

MAS NADA ADIANTOU.
DECIDIU, ENTÃO, DAR
UM TEMPO AO AMIGO.

JOSÉ!

JOSÉ!

JOSÉ!

JOSÉ!

JOSÉ!

JOSÉ!

JOSÉ!

MAS ELE NÃO OUVIA.

NESTOR ENTÃO

D
E
S
M
A
I
O
U.

VOLTANDO DE FÉRIAS COM A FAMÍLIA, **TOBIAS** AVISTOU O RIO SECO E O ENORME BURACO. DEU UM RASANTE E POUSOU NA BEIRA DO POÇO.

PERCEBEU QUE **NESTOR** ESTAVA LÁ
E CHAMOU **JOSÉ**.

RAPIDAMENTE AMARROU UM CIPÓ NA PONTE,
JOGOU A OUTRA PONTA DENTRO DO POÇO,
DESCEU ATÉ O FUNDO E RESGATOU O AMIGO.

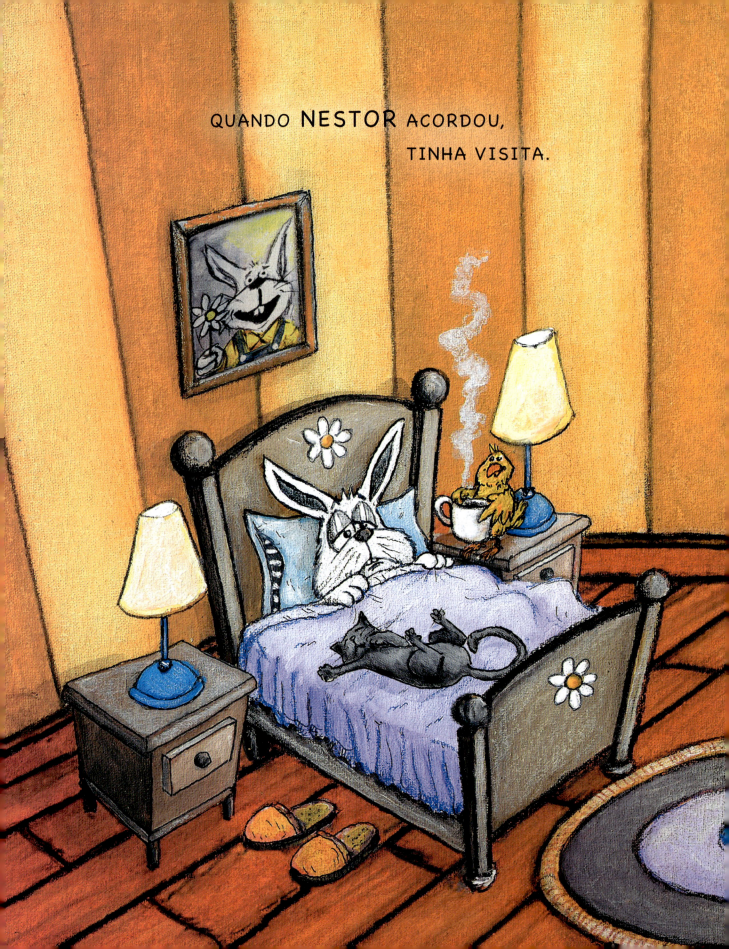

JOÃO SE APROXIMOU DELE E FALOU:

— VOU TE CONTAR UM SEGREDO, NESTOR. EU CONSTRUÍ UMA REPRESA, POR ISSO O RIO SECOU. QUANDO VI QUE TINHA FEITO ALGO ERRADO, VOLTEI CORRENDO PARA DESFAZER. DEVIA TER CONTADO A VOCÊS QUANDO OS CONHECI. DESCULPE-ME!

— A ÁGUA É DE TODOS!

OS AMIGOS TAMBÉM.

MEU NOME É ELIANDRO ROCHA E NASCI NO RIO GRANDE DO SUL, EM UMA CIDADE CHAMADA SAPUCAIA DO SUL.

QUANDO CRIANÇA, NÃO QUERIA DIVIDIR MEUS AMIGOS COM NINGUÉM. ESSE SENTIMENTO ME DEIXAVA MUITO TRISTE, EU ME SENTIA NO FUNDO DE UM POÇO, POR ISSO RESOLVI ME LIVRAR DELE.

APRENDI, COM O TEMPO, QUE AS AMIZADES DEVEM SER COMPARTILHADAS E, ASSIM, NASCEU ESTA HISTÓRIA.

BOA LEITURA E LINDAS AMIZADES.

PAULO THUMÉ NASCEU EM PORTO ALEGRE EM 1961 E DESDE CEDO FOI INFLUENCIADO PELO PAI E PELO AVÔ, ESCULTOR E PINTOR, A INGRESSAR NESSE FANTÁSTICO MUNDO DAS ARTES.

DALTÔNICO, AUTODIDATA, MAS COM ALGUMAS PASSAGENS PELO ATELIER LIVRE DA PREFEITURA DE PORTO ALEGRE, ESTE APAIXONADO PELOS QUADRINHOS VEM SE DEDICANDO AO DESENHO E À PINTURA DESDE ENTÃO.

SEU TRAÇO BASTANTE LÚDICO E A FORTE INFLUÊNCIA DOS QUADRINHOS O REMETERAM PARA ESSE INCRÍVEL MUNDO IMAGINÁRIO DAS CORES, QUE NÃO SE CANSA DE RETRATAR MESMO QUE MUITAS DESSAS CORES, PARA ELE, SEJAM DIFÍCEIS DE DISTINGUIR.

Este livro foi reimpresso, em primeira edição,
em junho de 2023, em couché 150 g/m²,
com capa em cartão 300 g/m².